2

Warren Delinger

MINDSET PER LA CRESCITA PERSONALE

Trasforma la tua mentalità per avere successo nella vita

Titolo: Mindset per la crescita personale
Autore: Warren Delinger

Prima edizione: Novembre 2023

Indice

- Tecniche di auto-riflessione

- Esercizi mentali

- Abitudini quotidiane per promuovere la crescita

6. **Superare le Barriere Mentali**

  - Identificazione delle barriere

  - Strategie per superarle

7. **Mindset di Crescita nel Contesto Professionale**

  - Applicazioni nel mondo del lavoro

  - Gestione della carriera e del successo professionale

8. **Mindset di Crescita nelle Relazioni Interpersonali**

  - Comunicazione efficace

  - Costruire relazioni positive

9. **Mindset di Crescita e Benessere Emotivo**

  - Gestione dello stress e dell'ansia

  - Tecniche di mindfulness e meditazione

10. **Storie di Successo e Inspirazione**

- Biografie di persone che hanno adottato un mindset di crescita

- Lezioni apprese dalle loro esperienze

11. **Risorse Aggiuntive e Letture Consigliate**

- Libri, articoli e podcast

- Workshop e seminari

12. **Conclusione e Riflessioni Finali**

- Riepilogo dei concetti chiave

- Invito all'azione per i lettori

Introduzione al Mindset per la Crescita Personale

1. Definizione di Mindset

Benvenuto nel viaggio per esplorare il potente concetto di mindset e il suo impatto sulla crescita personale. Ma prima di immergerci nel cuore dell'argomento, è fondamentale comprendere cosa si intende esattamente per "mindset".

Il termine "mindset" si riferisce all'insieme di atteggiamenti, convinzioni e modi di pensare che influenzano il modo in cui percepiamo e reagiamo al nostro ambiente. È la lente attraverso la quale vediamo il mondo, filtriamo le nostre esperienze e decidiamo come comportarci in diverse situazioni.

Un mindset non è solo un'abitudine mentale passeggera; è un orientamento profondamente radicato che modella ogni aspetto della nostra vita, dalla gestione delle sfide alla costruzione delle relazioni, dalla carriera alla salute personale. Comprendere il proprio mindset significa esplorare il nucleo delle proprie convinzioni e valutare come queste influenzino i nostri comportamenti quotidiani.

Ma perché è così importante? Il mindset determina non solo come reagiamo agli eventi, ma anche la nostra apertura al cambiamento e all'apprendimento. Influenza la nostra resilienza di fronte alle difficoltà e la nostra capacità di crescere e svilupparci sia a livello personale che professionale.

Questo libro si concentra sul "mindset per la crescita personale", un approccio mentale che favorisce l'apertura, l'apprendimento continuo e l'adattabilità. Contrapposto al mindset fisso, che vede le capacità come qualità fisse e immutabili, il mindset per la crescita personale abbraccia l'idea che possiamo svilupparci attraverso l'impegno e l'esperienza.

Nel proseguire con la lettura, esploreremo come il mindset influenzi ogni aspetto della nostra vita e come possiamo coltivare un mindset di crescita per realizzare il nostro pieno potenziale. Sarai guidato attraverso esempi pratici, strategie e riflessioni che ti aiuteranno a trasformare il tuo modo di pensare, migliorando così la qualità della tua vita in modi che forse non hai mai immaginato possibile.

Preparati a iniziare un percorso che potrebbe cambiare non solo come pensi, ma come vivi. Benvenuto nel mondo del mindset per la crescita personale.

Introduzione al Mindset per la Crescita Personale

2. Importanza del Mindset nella Crescita Personale

Dopo aver definito cosa intendiamo per "mindset", è cruciale comprendere perché questo concetto riveste un'importanza fondamentale nella crescita personale. Il mindset che adottiamo ha il potere non solo di influenzare, ma di plasmare il nostro percorso di vita.

2.1 La Forza Guida del Mindset

Il mindset agisce come una forza guida invisibile che orienta le nostre decisioni, le nostre azioni e le nostre reazioni. Se immaginiamo la vita come un viaggio, il mindset è la bussola che ci aiuta a navigare. Un mindset positivo e orientato alla crescita può trasformare gli ostacoli in opportunità, mentre un mindset negativo o limitante può renderci ciechi alle possibilità che ci circondano.

2.2 Il Mindset e la Realizzazione del Potenziale

Una delle principali ragioni per cui il mindset è così importante nella crescita personale è la sua capacità di sbloccare o limitare il nostro potenziale. Con un mindset di crescita, vediamo le sfide come occasioni per imparare e crescere. Questo approccio ci permette di estendere i nostri limiti, spingendoci oltre le barriere che credevamo insuperabili.

2.3 Resilienza e Adattabilità

Il mindset influisce anche sulla nostra resilienza e adattabilità. In un mondo in costante cambiamento, la capacità di adattarsi e di rimbalzare dopo le avversità è più preziosa che mai. Un mindset di crescita ci equipaggia con la mentalità necessaria per affrontare i cambiamenti e le difficoltà con un atteggiamento positivo e costruttivo.

2.4 Mindset e Relazioni Interpersonali

Le nostre convinzioni e atteggiamenti influenzano anche le nostre interazioni con gli altri. Un mindset di crescita può portare a relazioni più sane e produttive, sia in ambito personale che professionale. Quando vediamo gli errori come opportunità di apprendimento, siamo meno inclini a giudicare duramente noi stessi e gli altri, favorendo un ambiente di supporto e comprensione.

2.5 Il Viaggio Verso l'Auto-miglioramento

Infine, il mindset è fondamentale nella crescita personale perché è un elemento chiave nel viaggio verso l'auto-miglioramento. Riconoscere e sviluppare il proprio mindset è un passo essenziale per diventare la versione migliore di sé stessi. È un processo continuo di auto-scoperta e trasformazione.

Nel prossimo capitolo, esploreremo la storia e le origini del concetto di mindset, per comprendere meglio come si è evoluto nel tempo e come le diverse interpretazioni hanno influenzato il pensiero moderno su questo argomento cruciale.

Capitolo 2: Storia e Origini del Concetto di Mindset

La storia del concetto di mindset è un viaggio affascinante che ci porta attraverso diverse epoche e culture. Per capire appieno come il mindset influisce sulla crescita personale, è utile esaminare le sue radici e la sua evoluzione nel tempo.

2.1 Radici Antiche e Filosofiche

Il concetto di mindset ha radici che risalgono all'antichità. Filosofi come Socrate, Platone e Aristotele hanno esplorato idee che oggi potremmo definire come elementi di un "mindset di crescita". Il pensiero stoico, in particolare, con la sua enfasi sull'accettazione del cambiamento e sul controllo delle proprie reazioni, riecheggia molti principi del mindset moderno.

2.2 Il Rinascimento e l'Umanesimo

Durante il Rinascimento, l'umanesimo mise l'accento sull'individuo e sul suo potenziale. Questo periodo vide una rinascita dell'interesse per le capacità umane e per la crescita personale, ponendo le basi per la comprensione moderna del mindset.

2.3 L'Era dell'Illuminismo e Oltre

L'Illuminismo portò un'ulteriore evoluzione con il suo approccio razionale e scientifico alla conoscenza e alla comprensione umana. Questo periodo sottolineò l'importanza dell'educazione e dell'apprendimento come mezzi per migliorare sé stessi e la società.

2.4 Il XX Secolo e le Teorie Psicologiche

Nel XX secolo, psicologi come Carl Jung e Abraham Maslow hanno contribuito a modellare la comprensione contemporanea del mindset. Maslow, con la sua teoria della gerarchia dei bisogni, ha sottolineato l'importanza dell'auto-realizzazione, un concetto strettamente legato al mindset di crescita.

2.5 Il Contributo della Psicologia Moderna

La psicologa Carol Dweck ha portato una svolta significativa nella comprensione del mindset con la sua teoria del mindset fisso e del mindset di crescita. Secondo Dweck, il modo in cui percepiamo le nostre abilità e il nostro potenziale ha un impatto profondo sul nostro comportamento e sul nostro successo.

2.6 Implicazioni Contemporanee

Oggi, il concetto di mindset è diventato centrale in molti campi, dalla psicologia all'educazione, dalla gestione aziendale allo sviluppo personale. La crescente enfasi sul mindset riflette un riconoscimento più ampio dell'importanza dell'atteggiamento mentale e dell'autoconsapevolezza nella realizzazione del potenziale umano. Abbiamo visto come il concetto di mindset sia stato influenzato da molteplici correnti di pensiero nel corso della storia. Questo ricco retroterra culturale e filosofico ci offre una prospettiva più ampia per comprendere e applicare il mindset nella nostra ricerca della crescita personale.

Capitolo 2: Storia e Origini del Concetto di Mindset

2.2 Contributi Principali alla Teoria del Mindset

Il concetto di mindset, così come lo comprendiamo oggi, è il risultato di contributi significativi da parte di filosofi, psicologi e pensatori nel corso dei secoli. Questo sottocapitolo esplora in dettaglio alcuni dei contributi più influenti alla teoria del mindset.

2.2.1 Socrate e il Questionamento Socratico

Socrate, il filosofo greco, ha gettato le basi per il pensiero critico e l'autoanalisi. Il suo metodo di questionamento socratico, basato su domande stimolanti, incoraggia le persone a esplorare le proprie convinzioni e presupposti. Questo approccio mette in discussione le nozioni fisse e promuove un tipo di mindset orientato alla crescita attraverso l'auto-riflessione.

2.2.2 Carl Jung e l'Analisi della Psiche

Il psicologo svizzero Carl Jung ha apportato notevoli contributi con la sua analisi della psiche umana. Jung ha sottolineato l'importanza dell'autoconsapevolezza e del bilanciamento degli opposti nella psiche, incoraggiando così un approccio alla vita che riconosce e integra diversi aspetti del sé, un aspetto cruciale per lo sviluppo di un mindset di crescita.

2.2.3 Abraham Maslow e la Gerarchia dei Bisogni

Abraham Maslow, noto per la sua teoria della gerarchia dei bisogni, ha influenzato in modo significativo la teoria del mindset. Al vertice della sua gerarchia c'è il bisogno di auto-realizzazione, che implica il raggiungimento del pieno potenziale personale. Questo concetto è intimamente connesso con un mindset di crescita, che vede la realizzazione personale come un percorso continuo di sviluppo e apprendimento.

2.2.4 Carol Dweck e il Mindset Fisso vs. di Crescita

La psicologa Carol Dweck ha portato una svolta nella comprensione moderna del mindset con il suo lavoro sui mindset fisso e di crescita. Dweck ha scoperto che le persone con un mindset fisso vedono le loro qualità come immutabili, mentre quelle con un mindset di crescita credono che le loro abilità possano essere sviluppate attraverso l'impegno e la dedizione. Questa distinzione ha aperto nuove vie per comprendere come gli atteggiamenti mentali influenzino l'apprendimento, la resilienza e il successo.

2.2.5 Martin Seligman e la Psicologia Positiva

Martin Seligman, spesso considerato il padre della psicologia positiva, ha messo in evidenza l'importanza dell'ottimismo e di un approccio proattivo alla vita. La sua ricerca sull'ottimismo, la gratitudine e il benessere ha dimostrato come un mindset positivo possa migliorare la qualità della vita e promuovere la crescita personale.

2.2.6 Implicazioni Contemporanee

Questi contributi, tra gli altri, hanno plasmato la nostra comprensione attuale del mindset e della sua importanza nella crescita personale. La combinazione di antichi insegnamenti filosofici, scoperte psicologiche e ricerche moderne offre una visione olistica di come possiamo sviluppare un mindset che favorisce la crescita, l'adattabilità e la realizzazione personale.

Incorporando questi insegnamenti nella nostra vita quotidiana, possiamo iniziare a trasformare il nostro approccio alle sfide, alle relazioni e agli obiettivi personali.

Capitolo 3: Mindset Fisso vs. Mindset di Crescita

Nel terzo capitolo di questo libro, esploriamo due concetti fondamentali che hanno rivoluzionato il modo in cui pensiamo al potenziale umano: il mindset fisso e il mindset di crescita. Questa distinzione, introdotta da Carol Dweck, fornisce una cornice cruciale per comprendere come le nostre convinzioni sulle abilità e l'intelligenza influenzino il nostro comportamento, i nostri obiettivi e, in ultima analisi, il nostro successo.

3.1 Caratteristiche del Mindset Fisso

Nel mindset fisso, le abilità e l'intelligenza sono viste come tratti statici e immutabili. Chi possiede questo tipo di mindset crede che il successo sia il risultato di queste capacità innate e che lo sforzo non abbia un grande impatto sul risultato finale. Di seguito sono elencate alcune caratteristiche chiave del mindset fisso:

- Evitamento delle sfide: Tendono a evitare sfide che potrebbero portare al fallimento, poiché questo è visto come un riflesso diretto delle loro capacità.

- Resistenza al feedback: Le persone con mindset fisso spesso interpretano il feedback come critica personale, piuttosto che come opportunità di crescita.

- Sentimento di minaccia dal successo altrui: Vedono il successo degli altri come una minaccia alla propria autostima.

3.2 Caratteristiche del Mindset di Crescita

Contrastando il mindset fisso, il mindset di crescita abbraccia l'idea che le abilità e l'intelligenza possano essere sviluppate attraverso dedizione e duro lavoro. Questo tipo di mindset si concentra sul potenziale di apprendimento e miglioramento. Ecco alcune delle sue caratteristiche principali:

- Abbracciare le sfide: Le persone con un mindset di crescita vedono le sfide come opportunità per apprendere e migliorare.

- Risilienza di fronte agli ostacoli: Non si scoraggiano facilmente dai fallimenti, ma li usano come opportunità di apprendimento.

- Apertura al feedback: Accettano il feedback costruttivo e lo utilizzano per migliorare se stessi.

3.3 Confronto e Contrasto tra i Due Tipi di Mindset

La differenza tra questi due mindset si estende ben oltre il loro approccio agli ostacoli e al fallimento. Il mindset fisso può portare a una visione limitata del potenziale personale, mentre il mindset di crescita apre la strada all'auto-miglioramento e alla realizzazione personale.

Esplorare il contrasto tra mindset fisso e mindset di crescita ci permette di comprendere meglio come le nostre convinzioni influenzano non solo le nostre azioni ma anche i nostri risultati.

4.1 Caratteristiche del Mindset Fisso

Le persone con un mindset fisso credono che le qualità come l'intelligenza e il talento siano innate e fisse. Questa convinzione porta a specifici comportamenti e atteggiamenti:

- **Evitamento delle Sfide**: Vi è una tendenza a evitare nuove sfide per paura di fallire, poiché il fallimento è percepito come una riflessione diretta delle proprie capacità.

- **Resistenza al Feedback**: Il feedback, specialmente se critico, è spesso percepito come un attacco personale, portando a una scarsa ricezione di suggerimenti costruttivi.

- **Minaccia dal Successo Altrui**: Il successo degli altri può essere visto come un confronto sfavorevole a se stessi, portando a invidia e risentimento.

4.2 Caratteristiche del Mindset di Crescita

In contrasto, il mindset di crescita si basa sulla convinzione che le abilità e l'intelligenza possano essere sviluppate attraverso lo sforzo, la perseveranza e l'apprendimento continuo. Questo porta a un approccio alla vita significativamente diverso:

- **Embracing Challenges**: Le sfide vengono accolte come opportunità di apprendimento e sviluppo personale.

- **Resilienza di Fronte agli Ostacoli**: Invece di arrendersi di fronte agli ostacoli, si cerca di superarli, considerando ogni fallimento come un passo verso il successo.

- **Apertura al Feedback**: Il feedback è visto come uno strumento prezioso per l'auto-miglioramento, accogliendolo positivamente e utilizzandolo per crescere.

3.3 Impatti e Applicazioni Pratiche

Questi due mindset hanno implicazioni profonde in vari ambiti della vita. Nel contesto educativo, ad esempio, un mindset di crescita incoraggia gli studenti a vedere le difficoltà accademiche come opportunità per migliorare le proprie abilità. In ambito lavorativo, promuove l'innovazione e la creatività, poiché gli individui non hanno paura di esplorare nuove idee e rischiare errori.

Allo stesso modo, nelle relazioni interpersonali, un mindset di crescita può aiutare a costruire relazioni più forti e resilienti. Questo accade perché si impara a vedere conflitti e disaccordi come opportunità per comprendere meglio il punto di vista altrui e per crescere insieme.

3.4 Verso la Coltivazione del Mindset di Crescita

Coltivare un mindset di crescita richiede impegno e consapevolezza. Questo può iniziare con passi semplici come riformulare gli errori come opportunità di apprendimento, cercare attivamente feedback e sfidare le proprie convinzioni limitanti. È un viaggio continuo che richiede pratica e dedizione, ma i benefici in termini di realizzazione personale e professionale sono immensi.

In conclusione, la comprensione e l'adozione di un mind-set di crescita possono trasformare radicalmente la nostra esperienza di vita. Ci permette di affrontare sfide con coraggio, imparare dai nostri errori e crescere in modi che prima potevamo solo immaginare. Con questo potente strumento a nostra disposizione, siamo meglio equipaggiati per navigare il viaggio della crescita personale e realizzare il nostro pieno potenziale.

Capitolo 4: L'Impatto del Mindset sulla Vita Quotidiana

Il mindset che adottiamo ha ripercussioni profonde su come viviamo ogni giorno. Questo capitolo esplora come il mindset influenzi vari aspetti della vita quotidiana, dall'approccio ai problemi alla gestione delle relazioni.

4.1 Mindset e Decisioni Quotidiane

Ogni giorno, affrontiamo una miriade di decisioni, grandi e piccole. Il nostro mindset gioca un ruolo cruciale nel modo in cui prendiamo queste decisioni. Con un mindset di crescita, siamo più propensi ad affrontare decisioni difficili, vedere le opportunità in situazioni complesse e imparare dai nostri errori. Al contrario, un mindset fisso può portarci a evitare decisioni che ci mettono alla prova o che potrebbero portare a fallimenti.

4.2 Mindset e Sfide Personali

La nostra reazione alle sfide personali è fortemente influenzata dal nostro mindset. Coloro che adottano un mindset di crescita vedono le sfide come opportunità per migliorarsi, mentre un mindset fisso può portare a sentirsi sopraffatti o demotivati di fronte alle difficoltà. Il modo in cui inquadriamo e affrontiamo gli ostacoli può avere un impatto significativo sul nostro benessere emotivo e sulla nostra capacità di superare le avversità.

4.3 Mindset, Relazioni e Comunicazione

Il nostro mindset influisce anche sulle relazioni e sulla comunicazione. Un mindset di crescita incoraggia l'empatia, l'ascolto attivo e l'apertura a nuove prospettive, tutte qualità fondamentali per relazioni sane e costruttive. D'altro canto, un mindset fisso può portare a comunicazioni chiuse e a difficoltà nel gestire i conflitti in modo produttivo.

4.4 Mindset e Autorealizzazione

Il percorso verso l'autorealizzazione è profondamente legato al nostro mindset. Con un mindset di crescita, ci impegniamo attivamente nell'auto-miglioramento, nella ricerca di nuove esperienze e nell'apprendimento continuo. Questo approccio non solo aumenta la nostra competenza in diverse aree, ma contribuisce anche alla nostra soddisfazione e felicità complessive.

4.5 Mindset e Gestione dello Stress

La gestione dello stress è un'altra area in cui il mindset gioca un ruolo fondamentale. Un mindset di crescita può aiutare a vedere lo stress come una parte gestibile della vita, spingendoci a cercare strategie per affrontarlo in modo efficace. Invece, un mindset fisso può portare a una percezione negativa dello stress, rendendoci meno capaci di gestirlo in modo produttivo. Il mindset che adottiamo influisce su quasi ogni aspetto della nostra vita quotidiana. Adottare un mindset di crescita non solo ci aiuta ad affrontare le sfide con maggiore efficacia, ma arricchisce anche le nostre relazioni, migliora la nostra resilienza e ci guida verso un percorso di continua autorealizzazione e benessere. Coltivare un mindset di crescita può essere uno dei cambiamenti più potenti che possiamo fare per migliorare la qualità della nostra vita.

Capitolo 5: Strategie per Sviluppare un Mindset di Crescita

Trasformare il proprio mindset non è un processo imme-
diato, ma richiede dedizione e pratica. In questo capitolo,
esploreremo strategie concrete per coltivare un mindset di
crescita, incoraggiando un approccio alla vita più aperto e
resiliente.

5.1 Tecniche di Auto-riflessione

L'auto-riflessione è un potente strumento per sviluppare un mindset di crescita. Questo processo include:

- **Diario di Crescita Personale**: Tenere un diario dove riflettere sui propri progressi, sfide e apprendimenti.

- **Domande Guidate**: Porsi domande come "Cosa ho imparato oggi?" o "Come posso migliorare in questa area?".

- **Revisione delle Esperienze Passate**: Analizzare le situazioni passate per comprendere come un approccio di crescita avrebbe potuto cambiare l'esito.

5.2 Esercizi Mentali

Gli esercizi mentali possono aiutare a riformulare le nostre convinzioni e atteggiamenti:

- **Visualizzazione Positiva**: Praticare la visualizzazione degli obiettivi e immaginare se stessi superare le sfide.

- **Riformulazione del Fallimento**: Vedere i fallimenti come passi verso il successo e opportunità di apprendimento.

- **Affermazioni di Crescita**: Ripetere affermazioni che rinforzano la convinzione nella capacità di crescere e migliorare.

5.3 Abitudini Quotidiane per Promuovere la Crescita

Integrare abitudini quotidiane che promuovono un mindset di crescita è essenziale:

- **Impostazione di Obiettivi Incrementali**: Stabilire obiettivi piccoli e raggiungibili che portano a miglioramenti costanti.

- **Cercare Feedback Costruttivo**: Essere aperti al feedback e utilizzarlo come strumento per il miglioramento personale.

- **Apprendimento Continuo**: Dedicare tempo all'apprendimento e all'esplorazione di nuove aree di interesse.

5.4 Superare le Barriere Mentali

Identificare e superare le barriere mentali è un passo cruciale:

- **Riconoscere le Convinzioni Limitanti**: Essere consapevoli delle proprie convinzioni limitanti e sfidarle attivamente.

- **Pratica della Mindfulness**: Utilizzare la mindfulness per rimanere ancorati al presente e ridurre l'ansia dovuta ai fallimenti o alle preoccupazioni future.

- **Esposizione Graduale**: Affrontare gradualmente le situazioni temute o le sfide, costruendo fiducia e resilienza.

5.5 Celebrazione dei Progressi e dei Successi

Riconoscere e celebrare i propri progressi e successi è fondamentale per rinforzare un mindset di crescita:

- **Riconoscimento dei Piccoli Successi**: Dare valore a ogni piccolo passo avanti.

- **Condivisione dei Successi**: Condividere i propri traguardi con gli altri può rafforzare la motivazione e l'incoraggiamento.

Concludendo, sviluppare un mindset di crescita richiede un impegno consapevole e continuo. Attraverso tecniche di auto-riflessione, esercizi mentali, abitudini quotidiane, superamento di barriere mentali e celebrazione dei progressi, possiamo trasformare il nostro approccio alla vita. Questo processo non solo migliora il nostro benessere personale e professionale, ma ci apre a un mondo di possibilità infinite.

Capitolo 6: Superare le Barriere Mentali

Affrontare e superare le barriere mentali è un aspetto cruciale dello sviluppo di un mindset di crescita. Questo capitolo si concentra sul riconoscere queste barriere e su strategie efficaci per superarle, trasformando ostacoli in trampolini di lancio per la crescita personale.

6.1 Identificazione delle Barriere

Il primo passo nel superare le barriere mentali è identificarle. Queste possono includere:

- **Credenze Limitanti**: Idee profondamente radicate su noi stessi e sulle nostre capacità che limitano il nostro potenziale.

- **Paura del Fallimento**: La paura di sbagliare o di non soddisfare le aspettative può inibire il nostro desiderio di provare e sperimentare.

- **Resistenza al Cambiamento**: La comodità della familiarità può renderci resistenti a esplorare nuove opportunità o modi di pensare.

6.2 Strategie per Superarle

Una volta identificate le barriere, possiamo adottare diverse strategie per superarle:

- **Confronto con le Credenze Limitanti**: Sfida attivamente le tue convinzioni limitanti interrogandoti sulla loro veridicità e origine.

- **Riframing del Fallimento**: Cambia la tua percezione del fallimento, vedendolo come un passaggio necessario nell'apprendimento e nella crescita.

- **Piccoli Passi**: Inizia con piccoli cambiamenti per ridurre la resistenza e aumentare la fiducia nelle tue capacità di adattamento.

6.3 Uso della Mindfulness e della Meditazione

La mindfulness e la meditazione sono strumenti potenti per affrontare le barriere mentali:

- **Mindfulness Quotidiana**: Pratica la mindfulness nel quotidiano per aumentare la consapevolezza delle tue reazioni e dei tuoi modelli di pensiero.

- **Meditazione Guidata**: Usa la meditazione guidata per esplorare e rilassare la mente, affrontando le barriere mentali in uno spazio sicuro.

6.4 Il Ruolo del Supporto Esterno

A volte, superare le barriere mentali può richiedere un aiuto esterno:

- **Counseling o Coaching**: Lavorare con un professionista può fornire prospettive esterne e strategie personalizzate per affrontare le tue specifiche sfide.

- **Gruppi di Supporto**: Condividere esperienze e imparare dagli altri in gruppi di supporto può essere incredibilmente potente.

6.5 Creazione di un Piano d'Azione Personale

Sviluppare un piano d'azione personalizzato può guidarti attraverso il processo di superamento delle barriere mentali:

- **Obiettivi Specifici**: Stabilisci obiettivi chiari e misurabili per il tuo progresso personale.

- **Azioni Quotidiane**: Imposta azioni quotidiane per lavorare verso questi obiettivi, mantenendo il focus sulla crescita.

Superare le barriere mentali è un processo impegnativo ma estremamente gratificante. Attraverso l'auto-esplorazione, l'adozione di strategie efficaci, la pratica della mindfulness e, se necessario, il ricorso a supporto esterno, possiamo liberarci dalle catene delle nostre limitazioni autoimposte. Questo ci permette non solo di avanzare verso i nostri obiettivi, ma anche di vivere una vita più piena e soddisfacente.

Capitolo 7: Mindset di Crescita nel Contesto Professionale

La capacità di adottare un mindset di crescita può avere un impatto significativo sul successo professionale. In questo capitolo, esaminiamo come il mindset di crescita si manifesti nel contesto lavorativo e come possa essere utilizzato per migliorare le performance, le relazioni professionali e la soddisfazione lavorativa.

7.1 Applicazioni nel Mondo del Lavoro

Un mindset di crescita nel contesto lavorativo si traduce in diversi comportamenti chiave:

- **Apertura al Cambiamento**: Essere disposti ad adattarsi a nuove situazioni, tecnologie e processi.

- **Accettazione del Feedback**: Vedere il feedback come un'opportunità per crescere professionalmente, piuttosto che come una critica personale.

- **Iniziativa e Innovazione**: Prendere l'iniziativa per proporre nuove idee e soluzioni, anziché attenersi al "business as usual".

7.2 Gestione della Carriera e del Successo Professionale

Per coloro che adottano un mindset di crescita, la carriera è un viaggio di apprendimento continuo:

- **Sviluppo di Competenze**: Investire tempo nell'apprendimento e nello sviluppo di nuove competenze.

- **Pianificazione della Carriera**: Pianificare la propria carriera in modo strategico, con obiettivi che riflettono il desiderio di crescita e sviluppo.

- **Rete Professionale**: Costruire una rete di contatti professionali che supporti e stimoli la crescita personale e professionale.

7.3 Leadership e Mindset di Crescita

Il mindset di crescita ha implicazioni particolari per la leadership:

- **Promozione della Crescita nei Dipendenti**: Come leader, incoraggiare i collaboratori a sviluppare le loro abilità e a prendere iniziative.

- **Creazione di un Ambiente di Lavoro Positivo**: Fostering un ambiente che valorizza l'apprendimento, l'errore costruttivo e la collaborazione.

- **Leadership Trasformativa**: Essere un modello di mindset di crescita, mostrando come l'apprendimento continuo e l'adattabilità portino a risultati eccellenti.

7.4 Mindset di Crescita e Soddisfazione Lavorativa

Adottare un mindset di crescita può aumentare notevolmente la soddisfazione lavorativa:

- **Resilienza alle Sfide**: Affrontare le sfide lavorative con una prospettiva positiva e costruttiva.

- **Soddisfazione del Progresso**: Trovare soddisfazione nel progresso e nell'apprendimento, oltre che nei successi tangibili.

Coltivare un mindset di crescita nel contesto professionale non solo migliora le nostre prestazioni lavorative, ma arricchisce anche la nostra esperienza lavorativa nel suo complesso. Con un approccio che valorizza l'apprendimento continuo, l'adattabilità e l'iniziativa, possiamo non solo raggiungere i nostri obiettivi di carriera, ma anche contribuire in modo significativo al successo della nostra organizzazione e alla nostra soddisfazione personale sul lavoro.

Capitolo 8: Mindset di Crescita nelle Relazioni Interpersonali

Il mindset di crescita non influisce solo sulle prestazioni individuali e professionali, ma ha anche un ruolo significativo nelle relazioni interpersonali. In questo capitolo, esploreremo come un mindset di crescita possa arricchire le relazioni, migliorare la comunicazione e costruire connessioni più profonde e significative.

8.1 Comunicazione Efficace

Un mindset di crescita può trasformare il modo in cui comunichiamo:

- **Ascolto Attivo**: Mostrare apertura e interesse verso le prospettive altrui, ascoltando attivamente senza pregiudizi.

- **Feedback Costruttivo**: Offrire e ricevere feedback in modo costruttivo, focalizzandosi su miglioramenti e soluzioni.

- **Espressione Aperta**: Condividere pensieri e sentimenti onestamente, favorendo un dialogo aperto e sincero.

8.2 Costruire Relazioni Positive

Le relazioni basate su un mindset di crescita sono caratterizzate da:

- **Supporto e Incoraggiamento**: Incoraggiare gli altri nel loro percorso di crescita personale e professionale.

- **Adattabilità e Comprensione**: Essere flessibili e comprensivi nei confronti dei cambiamenti e delle sfide che gli altri affrontano.

- **Apprezzamento delle Diversità**: Valorizzare le diverse prospettive e esperienze come opportunità di apprendimento e arricchimento personale.

8.3 Gestione dei Conflitti

Un mindset di crescita può essere particolarmente utile nella gestione dei conflitti:

- **Vedere i Conflitti come Opportunità**: Approcciare i conflitti come occasioni per comprendere meglio gli altri e per trovare soluzioni creative.

- **Approccio Collaborativo**: Lavorare insieme per risolvere disaccordi, anziché adottare una mentalità competitiva o difensiva.

- **Crescita e Compromesso**: Cercare risultati che promuovano la crescita reciproca e il benessere delle relazioni.

8.4 Relazioni Durature e Profonde

Un mindset di crescita favorisce la costruzione di relazioni durature:

- **Crescita e Sviluppo Condivisi**: Incoraggiare la crescita personale sia propria che del partner o degli amici.

- **Flessibilità e Apertura ai Cambiamenti**: Adattarsi ai cambiamenti nella vita delle persone care, sostenendo e crescendo insieme.

- **Costruzione di Fiducia**: La fiducia si rafforza quando entrambe le parti si impegnano nella comprensione e nel sostegno reciproco. Adottare un mindset di crescita nelle relazioni interpersonali apre la porta a una comunicazione più autentica, alla comprensione reciproca e al sostegno continuo. Questo approccio non solo migliora la qualità delle nostre relazioni, ma ci arricchisce anche personalmente, permettendoci di costruire legami più forti e significativi.

Capitolo 9: Mindset di Crescita e Benessere Emotivo

Il mindset di crescita non solo contribuisce al successo e alle relazioni, ma gioca anche un ruolo fondamentale nel benessere emotivo. In questo capitolo, esploriamo come un mindset orientato alla crescita possa migliorare la gestione delle emozioni, la resilienza e la felicità complessiva.

9.1 Gestione dello Stress e dell'Ansia

Adottare un mindset di crescita può trasformare il modo in cui affrontiamo lo stress e l'ansia:

- **Percezione Positiva dello Stress**: Vedere lo stress come una risposta normale e gestibile, che può essere utilizzata per motivare e ispirare azioni.

- **Approcci Proattivi**: Utilizzare strategie proattive per affrontare lo stress, come la pianificazione, l'organizzazione e la ricerca di soluzioni creative.

- **Apprendimento dalle Esperienze Stressanti**: Utilizzare le esperienze stressanti come opportunità per apprendere e crescere, piuttosto che vederle come insormontabili.

9.2 Tecniche di Mindfulness e Meditazione

La mindfulness e la meditazione sono strumenti efficaci per coltivare un mindset di crescita e migliorare il benessere emotivo:

- **Pratiche Quotidiane di Mindfulness**: Incorporare pratiche di mindfulness nella routine quotidiana per aumentare la consapevolezza del presente e ridurre i pensieri negativi.

- **Meditazione per la Crescita**: Utilizzare la meditazione per esplorare e sviluppare un approccio più positivo e flessibile alle sfide della vita.

9.3 Superare Ostacoli Emotivi

Un mindset di crescita ci aiuta a superare gli ostacoli emotivi:

- **Riconoscimento e Accettazione delle Emozioni**: Riconoscere e accettare le emozioni negative come parte dell'esperienza umana, senza lasciarsi sopraffare da esse.

- **Riframing Emotivo**: Riformulare situazioni emotivamente difficili in termini di crescita e opportunità.

9.4 Coltivare la Gratitudine e l'Ottimismo

Il mindset di crescita è strettamente legato alla gratitudine e all'ottimismo:

- **Pratica Quotidiana della Gratitudine**: Tenere un diario della gratitudine o riflettere regolarmente su ciò per cui si è grati.

- **Ottimismo Realistico**: Adottare un approccio ottimista ma realistico alla vita, concentrando l'attenzione sulle possibilità positive.

9.5 Sviluppo Personale e Felicità

Infine, un mindset di crescita promuove un senso più profondo di realizzazione personale e felicità:

- **Auto-miglioramento Continuo**: Vedere il viaggio della vita come un'opportunità costante per l'auto-miglioramento e la crescita personale.

- **Soddisfazione per il Percorso di Crescita**: Trovare gioia nel processo di apprendimento e sviluppo, non solo nei risultati finali. Un mindset di crescita non solo migliora la nostra capacità di gestire lo stress e le sfide, ma arricchisce anche la no-

stra vita emotiva. Ci incoraggia a vedere le difficoltà come opportunità, a coltivare la gratitudine e
l'ottimismo, e ad abbracciare un percorso di crescita continua, contribuendo in modo significativo
al nostro benessere e alla nostra felicità complessiva.

Capitolo 10: Integrazione del Mindset di Crescita nella Vita Quotidiana

L'obiettivo è fornire strumenti concreti e facilmente applicabili che possano essere utilizzati quotidianamente per promuovere la crescita personale. Strategie e trucchetti semplici, attuabili da tutti.

10.1 Stabilire Routine Quotidiane per il Mindset di Crescita

Esploriamo come piccole abitudini quotidiane possono contribuire a sviluppare e mantenere un mindset di crescita:

- **Consigli per una Mattinata Produttiva**: Suggerimenti per iniziare la giornata con un approccio positivo e orientato alla crescita.

- **Pratiche Serali**: Routine serali che aiutano a riflettere sui progressi e a prepararsi per il giorno successivo con un atteggiamento positivo.

10.2 Tecniche di Auto-Miglioramento nel Contesto Sociale

Fornire suggerimenti su come applicare il mindset di crescita nelle interazioni sociali:

- **Conversazioni Costruttive**: Come trasformare le conversazioni quotidiane in opportunità di apprendimento e connessione.

- **Gestione dei Conflitti**: Strategie per gestire i disaccordi in modo costruttivo, utilizzando un approccio orientato alla crescita.

10.3 Mindset di Crescita e Hobby/Passioni

Consigli su come applicare il mindset di crescita agli hobby e alle passioni:

- **Imparare Nuove Abilità**: Approcci per imparare nuove competenze o hobby in modo efficace e soddisfacente.

- **Superare Ostacoli nelle Attività Preferite**: Strategie per affrontare e superare le sfide incontrate nelle attività ricreative o creative.

10.4 Integrare il Mindset di Crescita nel Lavoro e nella Carriera

Suggerimenti pratici per applicare il mindset di crescita nel contesto professionale:

- **Obiettivi e Pianificazione della Carriera**: Come impostare obiettivi di carriera allineati con un mindset di crescita.

- **Gestione dello Stress Lavorativo**: Tecniche per affrontare lo stress lavorativo mantenendo un approccio orientato alla crescita.

10.5 Bilanciare Mindset di Crescita e Benessere

Consigli su come mantenere un equilibrio tra il perseguire la crescita personale e il prendersi cura del proprio benessere:

- **Mindfulness e Mindset di Crescita**: Come la mindfulness può supportare e bilanciare il desiderio di crescita.

- **Riconoscere e Rispettare i Propri Limiti**: Importanza di riconoscere i propri limiti per una crescita sostenibile.

Capitolo 10: Integrazione del Mindset di Crescita nella Vita Quotidiana

Incorporare un mindset di crescita nella vita di tutti i giorni può trasformare radicalmente il modo in cui viviamo, lavoriamo e interagiamo con gli altri. Questo capitolo offre suggerimenti pratici e routine specifiche per aiutarti a coltivare e mantenere un mindset di crescita in ogni aspetto della tua vita.

10.1 Stabilire Routine Quotidiane per il Mindset di Crescita

Le abitudini quotidiane sono fondamentali per sviluppare un mindset di crescita:

- **Mattina Produttiva**: Inizia la giornata con un'attività che stimoli la mente, come la lettura, la scrittura in un diario o un breve esercizio di riflessione. Ad esempio, potresti scrivere tre cose per cui sei grato ogni mattina.

- **Riflessione Serale**: Dedica 10 minuti ogni sera a riflettere sui progressi del giorno. Chiediti: "Cosa ho imparato oggi?" e "Come posso applicare questo apprendimento domani?".

10.2 Tecniche di Auto-Miglioramento nel Contesto Sociale

Il mindset di crescita può migliorare notevolmente le tue interazioni sociali:

- **Conversazioni Costruttive**: Quando parli con amici o colleghi, cerca di ascoltare attivamente e fai domande che promuovano la comprensione e l'apprendimento reciproco.

- **Gestione dei Conflitti**: Affronta i disaccordi con l'obiettivo di comprendere il punto di vista dell'altro. Usa frasi come "Aiutami a capire il tuo punto di vista" o "Cosa possiamo imparare da questa situazione?".

10.3 Mindset di Crescita e Hobby/Passioni

Applica il mindset di crescita alle tue attività preferite:

- **Imparare Nuove Abilità**: Scegli un nuovo hobby e imposta obiettivi piccoli ma regolari. Ad esempio, se stai imparando a suonare uno strumento, dedica 15 minuti al giorno alla pratica.

- **Superare Ostacoli**: Quando incontri una difficoltà, invece di scoraggiarti, chiediti: "Quali risorse o abilità posso sviluppare per superare questo ostacolo?"

10.4 Integrare il Mindset di Crescita nel Lavoro e nella Carriera

Rendi il mindset di crescita una parte della tua vita professionale:

- **Obiettivi di Carriera**: Stabilisci obiettivi di carriera che ti sfidino e ti stimolino a crescere. Ad esempio, potresti puntare a imparare una nuova competenza ogni trimestre.

- **Gestione dello Stress Lavorativo**: Affronta lo stress lavorativo identificando le cause e sviluppando strategie proactive per gestirle, come la delega efficace o il miglioramento delle competenze di gestione del tempo.

10.5 Bilanciare Mindset di Crescita e Benessere

Mantenere un equilibrio è essenziale:

- **Mindfulness e Mindset di Crescita**: Pratica la mindfulness per rimanere ancorato nel presente.

Questo può aiutare a mitigare l'ansia legata agli obiettivi futuri e a godere del processo di crescita.

- **Riconoscere e Rispettare i Propri Limiti**: Impara a riconoscere i segnali di esaurimento e prenditi del tempo per riposare e recuperare. Ricorda che la crescita sostenibile include anche il riposo e la cura di sé.

Implementando questi suggerimenti e routine nella tua vita quotidiana, potrai sfruttare appieno i benefici di un mindset di crescita, migliorando così la tua qualità della vita, le tue relazioni e il tuo benessere generale.

Capitolo 11: Il Ruolo delle Emozioni nel Mindset di Crescita

11.1 La Natura delle Emozioni

Le emozioni sono segnali potenti che influenzano ogni aspetto della nostra vita. Dalla gioia alla frustrazione, ogni emozione ha il potere di plasmare il nostro pensiero, le nostre decisioni e le nostre azioni. Comprendere le emozioni è quindi essenziale per sviluppare un mindset di crescita. Le emozioni positive, come l'entusiasmo e la curiosità, possono incoraggiare l'esplorazione e l'apprendimento. Allo stesso tempo, le emozioni negative, se gestite correttamente, possono diventare fonti di forza e resilienza.

11.2 Gestire le Emozioni per il Mindset di Crescita

La gestione delle emozioni è una competenza fondamentale per chiunque voglia adottare un mindset di crescita. Tecniche come la respirazione profonda e la mindfulness aiutano a mantenere la calma e la chiarezza mentale di fronte alle sfide. La ristrutturazione cognitiva, che consiste nel riformulare pensieri negativi in maniera più positiva e realistica, è un altro strumento efficace. Ad esempio, invece di pensare "Non riuscirò mai a fare questo", potremmo riformulare il pensiero in "Questo è difficile, ma posso migliorare con la pratica".

11.3 Trasformare le Sfide Emotive in Opportunità

Le difficoltà emotive, come la delusione o la frustrazione, possono essere trasformate in opportunità per la crescita personale. Questo richiede un cambiamento di prospettiva: vedere ogni esperienza emotiva, anche quelle dolorose, come un'occasione per imparare qualcosa di nuovo su di sé e sul mondo. Ad esempio, un fallimento può diventare un'opportunità per sviluppare la resilienza e imparare dai propri errori.

11.4 Empatia e Mindset di Crescita

L'empatia, la capacità di comprendere e condividere le emozioni altrui, è vitale in un mindset di crescita. Quando ascoltiamo attivamente e ci sforziamo di capire le emozioni altrui, possiamo migliorare le nostre relazioni e creare ambienti più collaborativi. Questo non solo aiuta gli altri a sentirsi ascoltati e valorizzati, ma ci offre anche nuove prospettive e idee, arricchendo il nostro processo di apprendimento.

11.5 Comunicare Efficacemente le Emozioni

Una comunicazione emotiva efficace è essenziale per esprimere i propri bisogni e comprendere quelli degli altri. Invece di reprimere o esplodere, possiamo imparare a esprimere le nostre emozioni in modi costruttivi. Ad esempio, utilizzare affermazioni in prima persona come "Mi sento frustrato quando..." può aiutare a esprimere i sentimenti senza dare la colpa agli altri, facilitando una comunicazione più aperta e onesta.

Comprendere e gestire le nostre emozioni è un passo fondamentale verso lo sviluppo di un mindset di crescita. Attraverso la consapevolezza emotiva, la regolazione emotiva, l'empatia e una comunicazione efficace, possiamo trasformare le nostre esperienze emotive in potenti strumenti per il nostro sviluppo personale. Ricordiamo che ogni emozione, positiva o negativa, porta con sé una lezione e un'opportunità di crescita.

Capitolo 12: L'Importanza del Contesto Sociale e Culturale nel Mindset di Crescita

12.1 Influenze Culturali sul Mindset

Ogni cultura ha le sue credenze e valori unici che influenzano il modo in cui le persone vedono il successo, il fallimento e la crescita personale. In alcune culture, ad esempio, l'errore è visto come un'opportunità per imparare, mentre in altre può essere percepito come una fonte di vergogna. Questo capitolo esplora come queste influenze culturali modellino il nostro approccio alla crescita e al cambiamento. Ad esempio, in una cultura che valorizza il lavoro di squadra e la collaborazione, potrebbe essere più facile sviluppare un mindset di crescita grazie al supporto e alla condivisione delle conoscenze all'interno della comunità.

12.2 Creazione di Ambienti di Supporto

Il contesto sociale in cui viviamo - famiglia, lavoro, amici - gioca un ruolo cruciale nel nostro sviluppo. Un ambiente di supporto è un terreno fertile per un mindset di crescita. In questo segmento, discutiamo come creare e nutrire ambienti che incoraggino l'esplorazione, l'errore costruttivo e l'apprendimento continuo. Per esempio, in un ambiente lavorativo che incoraggia la sperimentazione e accetta l'errore come parte del processo di apprendimento, i dipendenti si sentono più liberi di sperimentare e innovare.

12.3 Mindset di Crescita nella Comunità

Oltre a concentrarsi sullo sviluppo personale, è essenziale considerare come possiamo coltivare un mindset di crescita a livello comunitario. Questo può includere iniziative educative che incoraggino l'apprendimento collaborativo e critico, programmi comunitari che supportino l'innovazione e la creatività, e politiche che promuovano l'equità e l'accesso alle risorse per l'apprendimento. Ad esempio, una comunità che organizza workshop e seminari regolari su vari argomenti può creare un ambiente dove l'apprendimento continuo è norma e valore condiviso.

12.4 Superare le Barriere Culturali e Sociali

Spesso, le barriere culturali e sociali possono ostacolare l'adozione di un mindset di crescita. Queste possono essere dovute a stereotipi, pregiudizi o semplicemente alla mancanza di risorse. Discutiamo come individui e comunità possano lavorare insieme per superare queste barriere, promuovendo un approccio più inclusivo e accessibile alla crescita personale. Per esempio, iniziative che mirano a ridurre il divario di genere nell'istruzione e nelle carriere STEM possono aiutare a sfidare e cambiare stereotipi di lunga data.

12.5 Conclusione: Un Approccio Olistico alla Crescita Personale

Concludiamo il capitolo ribadendo l'importanza di considerare sia gli aspetti culturali che sociali nel nostro viaggio di crescita personale. Un mindset di crescita non si sviluppa in isolamento; è influenzato e arricchito dal nostro contesto sociale e culturale. Per una crescita personale veramente significativa ed efficace, dobbiamo essere consapevoli di questi fattori e lavorare attivamente per creare ambienti che sostengano e promuovano un approccio di crescita in tutti gli aspetti della nostra vita.

Conclusione e Riflessioni Finali

Mentre giungiamo alla conclusione di questo viaggio attraverso il "Mindset per la Crescita Personale", è il momento di riflettere su ciò che abbiamo appreso e su come applicare queste preziose intuizioni nella nostra vita quotidiana.

Abbiamo esplorato il potente impatto che il nostro mindset ha sulle nostre esperienze, dalle sfide personali e professionali alle relazioni interpersonali e al benessere emotivo. Abbiamo visto come un mindset di crescita non sia solo un concetto teorico, ma una pratica vivente che può trasformare ogni aspetto della nostra esistenza.

Riepilogo dei Concetti Chiave

- **Mindset Fisso vs. Mindset di Crescita**: Abbiamo imparato la differenza tra questi due mindset e come un mindset di crescita può aprire la porta a infinite possibilità di apprendimento e miglioramento.

- **Strategie per Sviluppare un Mindset di Crescita**: Abbiamo esplorato diverse strategie pratiche, dalla riflessione personale all'adozione di abitudini quotidiane, che possono aiutarci a coltivare un approccio più aperto e flessibile alla vita.

- **Superare le Barriere Mentali**: Abbiamo discusso l'importanza di riconoscere e superare le barriere mentali che possono ostacolare la nostra crescita.

- **Applicazione Pratica nel Mondo Reale**: Abbiamo visto come un mindset di crescita possa essere applicato con successo nel contesto professionale, nelle relazioni e nella gestione delle emozioni.

Invito all'Azione per i Lettori

Questo libro è più di una semplice lettura; è un invito all'azione. Vi incoraggio a:

- **Riflettere**: Prendetevi un momento per riflettere sui concetti discussi e su come si applicano alla vostra vita.

- **Sperimentare**: Provate le strategie suggerite, modificatele secondo le vostre esigenze e osservate i cambiamenti che ne derivano.

- **Impegnarsi**: Impegnatevi in un percorso di crescita personale continuo. La crescita è un viaggio, non una destinazione.

In definitiva, il mindset di crescita è un dono che ci facciamo. È la promessa di un'apprendimento senza fine, di sfide trasformate in opportunità e di una vita vissuta con pienezza e scopo. Con questo mindset, siamo meglio equipaggiati per navigare il viaggio della vita, abbracciando ogni esperienza come un'opportunità per crescere, imparare e prosperare.

Grazie per aver intrapreso questo viaggio con me. Spero che le lezioni e le strategie condivise in questo libro vi

ispirino e vi guidino verso un percorso di crescita e realizzazione personale. Ricordate, il vostro mindset è la
chiave per sbloccare il vostro potenziale infinito. Buon
viaggio!

Milton Keynes UK
Ingram Content Group UK Ltd.
UKHW020625291123
433416UK00016B/1071